AF607416

Segunda edición, abril de 2022

info@westindies.eu

Corrección y maquetación: Fut i makak
Ilustración de portada: Diego Rasskin
Diseño de portada: Teresa Galarza

Ilustraciones de Abel Rasskin (fragmentos), 2020.

Caravana, modificado de un fotograma de la serie de TV japonesa "The Silk Road", 1980.

ISBN: 978-9916-9685-1-2
Impreso en España – Printed in Spain

Todos los Mundos el Mundo

Una imaginada memoria de la odisea del ajedrez

Diego Rasskin Gutman

West Indies

Publishing Company

Prólogo

El juego que mira el universo

Por Federico Marín Bellón

Tiene el lector ante sus ojos una obra imposible, una suerte de cantar que relata la gesta de la creación del ajedrez. Diego Rasskin, doctor de la vida, tiene la mente científica y el corazón de poeta. La primera se pregunta el origen de las cosas. El segundo se embarca en un viaje milenario y tira del hilo de una historia de mestizaje cosida a la ruta de la seda, de la que cuelgan infinidad de héroes anónimos. A Rasskin su obra le sirve además para rastrear sus propias raíces, el otro propósito confeso de la aventura.

El ardid es magnífico. Como los mejores movimientos de ajedrez, «Todos los Mundos el Mundo» sirve en un elegante movimiento más de una misión: ataca y defiende a la vez, desarrolla su pasión y pone al lector en jaque. Mientras trata de entender mejor cómo nació y se extendió por el tablero del mundo el virus bueno de este juego inagotable, Diego bucea en los espejos del tiempo en busca del rostro de los suyos. Desbroza el papel inagotable de los mercaderes judíos, que enriquecieron Europa con la simiente de otras culturas.

Entre los libros y especias, escondidas entre las pieles y tan explosivas como la pólvora, viajaban unas figuritas esculpidas en la madera o en el marfil o en la piedra. O moldeadas en arcilla, como el mismo hombre. Aquellas esculturas en miniatura nos invadieron desde Asia. Eran soldados agazapados en el interior de un caballo más sutil que el de Troya, en un asalto más real y duradero, en un plan medieval todavía no derrotado. En las maletas y en los carromatos de aspecto inoçente, heridos por el largo viaje, nos llegaron aquellas «piezas mágicas que moverían el mundo» sin mayor necesidad que la única fuente de energía inagotable: el ingenio del ser humano. «Todos los Mundos el Mundo» viene acompañado de hermosas ilustraciones que enriquecen la belleza y la hondura de un relato que ensalza el mestizaje de pueblos, de seres humanos trashumantes, de suelos errantes y migrantes, de oficios y sueños.

Diego Rasskin atraviesa fronteras movedizas y observa el universo a lomos de unas figuras cambiantes, talladas de materiales diversos. Hasta su nombre de pila es incierto. Es la historia no autorizada del juego «que mira el universo», cantado en unas constelaciones de hallazgos y versos sueltos.

Como el ajedrez, donde apenas 32 soldados libran infinitas batallas en un (solo en apariencia) exiguo campo de 64 casillas, Rasskin no necesita realizar alardes para exhibir su esfuerzo documental. Su obra recorre las dunas del tiempo en un puñado de páginas, sin necesidad de citar cifras grandilocuentes o expresiones rimbombantes. La delicada lírica del texto habla por sí misma. Una mirada ingenua creería que sus palabras son incapaces de abarcar las geografías inmensas de mares, siglos y continentes; pero no:

"eran persas
adoraban al fuego
las aves fantásticas
el ruc de la colina tardía
el eterno retorno
eran tayik
eran mongoles
eran hindúes
eran almas de la estepa china
eran tú y tu pueblo venidos de Palestina
todos
habitantes de jardines hermosos
flores malvas
azules o blancas
caían a sus pies
esclavos esbeltos venidos del norte se los lavaban
con sus manos blancas, sus blancos dientes, sus sábanas
blancas
eran persas
y eran bactros y partos y del valle del Indostán
estaban en Gandhara y en Samarcanda
en Merv y en las onduladas
tierras bajo el Cáucaso
hasta los griegos vinieron hacia ti
con sus dioses y sus gramáticas"

Diego es Moshé, el mercader que atraviesa el mundo con la buena nueva de un juego a vida o muerte. Su origen es incierto, pero el éxito es seguro. La historia no sabrá ignorar su gesta. «Mi nombre es ajedrez pero antes fui shatranj y acaso chaturanga». Solo yo sé detener el tiempo.

Agradecimientos

Después de años de búsqueda identitaria llenos de experimentos literarios, de apuntes e ideas, que al final terminan por materializarse en un libro, resulta complejo saber a quién agradecer; al fin y al cabo, todo aquello que a uno le ocurre, toda interacción humana, contribuye al acto creativo. Verlo de otro modo es engañarse a sí mismo. Sin duda, el entusiasmo de Juanjo Gómez Cadenas al leer los primeros borradores me ayudó a creer en lo que estaba haciendo y a no dejar de desarrollar la idea. Los editores del magazine cultural Jot Down, con quienes llevo colaborando desde 2014 con una serie de artículos que, de algún modo, son parte experimental de este libro. Y, por supuesto, mi familia, Deborah y nuestros hijos, Gabriel y Alexander; no hay murmullo como el murmullo de sus sonrisas. Ellos saben que son mi única certeza.

Índice

Preámbulo

Hay imaginarios, viajes, que se revuelven en la cabeza de uno durante años luchando por salir adelante alrededor de una plétora de realismos, los objetos del día a día, esa vida que pasa mientras nos ocupamos de las cosas más variopintas. En esos viajes, imaginarios, uno puede recordar lo que nunca ha vivido como si le perteneciera, adornándolo hasta la saciedad con guirnaldas de tiempo, frutas multicolores, espadas que se batieron en batallas infinitas y escenas de encuentros y desencuentros y de amores lejanos. El texto que he escrito empezó en realidad hace ya mucho tiempo en forma de búsqueda acerca de los orígenes del ajedrez, siguió como un análisis de su expansión desde las lejanas tierras de oriente hacia el resto del planeta y terminó conjurando mis raíces hebraicas alrededor de una idea que siempre me ha fascinado: la implicación de los mercaderes judíos como introductores de la cultura asiática en la Europa medieval.

Y si bien yo tenía una idea inicial bastante clara de lo que quería contar, la narración se me fue yendo de las manos y terminó por relatar la experiencia humana del mundo judío, en especial esa que menos se conoce (al menos la que yo más desconocía): la de aquellos mercaderes asentados en la ruta de la seda ya desde hace dos mil quinientos años, después de la primera destrucción del Templo. Su papel en la historia del nacimiento de las civilizaciones modernas en Asia, Europa y Norte de África ha quedado relegado a notas a pie de página en los libros de texto. Casi no se conocen más allá de círculos académicos de difícil acceso. Los restos arqueológicos, la monumental tradición desplegada en el Talmud a lo largo de los siglos, tanto el de Jerusalén como el de Babilonia, y el relato de los viajeros medievales (algunos judíos como Benjamín Tudela y otros árabes y cristianos que se los encontraban a su paso), constituyen una visión del pasado que avivó mi curiosidad y mi imaginación. Decidí entonces usar el ajedrez, su origen, su historia, su capacidad para sugerir infinitas metáforas del mundo, como hilo conductor de una odisea humana singular, valiéndome de personajes reales y de otros inventados, pero no menos reales para mí.

El resultado ni es una historia del ajedrez, aunque la sigue, ni es una historia del pueblo judío, aunque la contempla, ni es nada que se pueda parecer a todo lo contrario. Es el imaginario viaje no lineal, a través del tiempo y de los confines de Europa y Asia, de Moshé ben Oni, un mercader, un amorá, un sabio, un amante, una víctima de las interminables persecuciones que ha sufrido el pueblo judío; hijo del dolor, que un día llevó entre sus mercancías un juego casi infinito y nunca más volvió a ser el mismo.

Diego Rasskin Gutman

La Canyada, noviembre de 2020

a mis mayores
a mis hijos

א

El paisaje

arrasas el suelo
sólo encuentras
la seguridad del átomo

todo es siembra
uno por uno
la imparable ciénaga
la luz tardía
el aire
la música deshilachada
la acción de las palabras
el desistir del sueño

arrasas el suelo
no hay materia
más allá de la materia

la estepa, el desierto, los ríos, los valles
perdiste la patria para encontrar el mundo

el mundo es ahora la patria

la mesura
el encanto
la pasión desmedida
el juego de los niños
las hondas de los héroes

el seísmo
que arrastra las verdades partidas

no hay
no hay materia
no hay más allá

...

entre
las dagas veladas
que se esconden

te he visto

los ojos cerrados
la luz de la noche

te he visto

en la estepa
solo ibas
caminando junto a esa bella bestia
el caballo imperial
la mirada de polvo
                    el paso del miedo
fuiste desde Kaifeng
                              hasta Alepo
y tu familia en Bujará

llevabas piedras talladas
esmeraldas y rubíes
sedas de otoño
pimientas y clavo

                    pigmentos bruñidos de añil

eras uno y eras cientos y eras miles
                              la caravana interminable
los días

            hermosos como un simple melocotón

atravesaste el desierto
                          y el Éufrates
                          y las montañas del Cáucaso

no te fuiste nunca de Jerusalén
siempre volvías desde el resplandor
de la calle vieja de tu casa

te deshiciste de tus pasos
                              de los de tus padres
                              de los de tus abuelos

en esa alforja de piel de camello
sólo llevabas unas piezas mágicas
que moverían el mundo
serían el mundo
todos los mundos
el mundo

y junto a la alforja
un tablero dorado
de ocho filas
y ocho columnas

ב

La gente

eran persas

adoraban al fuego
las aves fantásticas
                                        el ruc de la colina tardía
el eterno retorno

eran tayik
eran mongoles
eran hindúes
eran almas de la estepa china

eran tú y tu pueblo venidos de Palestina

todos

habitantes de jardines hermosos
flores malvas
                    azules o blancas
                                        caían a sus pies

esclavos esbeltos venidos del norte se los lavaban
con sus manos blancas, sus blancos dientes, sus
sábanas blancas

eran persas

y eran bactros y partos y del valle del Indostán
estaban en Gandhara y en Samarcanda
en Merv y en las onduladas
                                    tierras bajo el Cáucaso

hasta los griegos vinieron hacia ti
con sus dioses y sus gramáticas

apagaron el fuego
                    lo desnudaron
despojaron las almas ensangrentadas
                                        y te entregaron a ti
a tu familia
            a la familia de tu familia

vinieron, vinieron los griegos
                                    y se quedaron para
siempre

en las orillas del mar Caspio te destilaron el sueño
y en el mar Negro
                    donde todo era

un sinfín de horas
estériles
nuevas
como lamiendo los delicados bordes del tiempo
esa caravana no tenía dueños
varados en la orilla del mar, soñabas
húmedas manos vaciaban el ademán
y la vasija
con su espiral perfecta y sus palabras
mágicas, también perfectas
ahuyentando los fantasmas de la oscuridad más allá
del río

el murmullo del Tigris
la soledad del Volga
el aullido del Ganges
la magnificencia del río Amarillo

tú
fuiste tú y no otro
la historia engañada
te esquilmó la gloria
te arrastró por la tierra
pero yo te he visto
yo te he visto y te rescato
no hay materia más allá del átomo
el Shabat sagrado
las filacterias extendidas
fuiste célebre en Babilonia
en Sura y Pumbedita
eras el intérprete
el traductor
la luz de la vida
la energía del árbol
la tierra

el estruendo de la Sefirot
la rotundidad del Alef

supiste responder
hablar
creer
amar

contemplando el día
te encontró forjando monedas
no eran treinta monedas
no
eran casi infinitas

ג

El juego que mira al universo

lo llamaron shatranj
era un mundo dentro de un mundo
un universo entero
estaba el rey y sus ejércitos de nubes sobre la estepa

los pies sólidos
            como piedras rotundas de bordes redondeados
y eran
de marfil y de cristal de roca
                        de terracota y de arcilla prensada
de lapislázuli
de madera y de hueso y hasta de cáñamo

no había posesión más bella:
el encantamiento de las líneas surcando los límites
del tablero

había sido chaturanga
quién sabe
quién verdaderamente lo sabe
eran tierras sin nombre
fronteras movedizas
habían venido los griegos
con el gran Alejandro
y se habían quedado
siglos por esas
las tierras movedizas
quién verdaderamente lo sabe
primero fueron
soldados y carruajes y también barcos
caballos y elefantes
el rey y el visir
en sus casas desmembradas
justamente geométricas
siguiendo los ashtapadas
eran tierras sin nombres
tierras movedizas
eran de arcilla
de arena ardiente del desierto del Gobi
de aguas cristalinas que bajaban del Himalaya
el gran Alejandro, lo llamasteis Alexandro
revolvió la simiente
erigió ciudades hermosas
con la hermosura de la piedra griega
la bravura de las huestes sometidas
el cielo asolado
las nubes de invierno
vertiendo verdades verdes sobre las veredas

de aquel jardín donde saltaban aquellas
ranas moteadas

era el chaturanga
las cuatro hermandades de la lucha, de la guerra
del amor sin final
pasando los días y las noches incesantes
revolviendo las piezas sobre el espacio ordenado
dejando acotado los lances
de la vida
y de la muerte

fuiste el juego dime ¿cuál es tu nombre, tu verdadero
nombre?
dime, dinos quién eres
nombra tu nombre
reescribe la historia

te hemos esperado mil quinientos años
bajo la sombra
de esta oliva

mi nombre es Moshé ben Oni
nací en las orillas del Éufrates o quizás fue el Tigris

mi madre, Raquel, murió al nacer yo y mi padre,
Jacob,
me llevó a la ciudad de Pumbedita
ahí aprendí el secreto de los números, de las luces y
de las sombras

he sido mercader y mercenario y mecenas y médico
he sido amorá y he cruzado el mundo conocido

desde Iberia hasta Japón
desde el país de los vikingos
hasta la península de Omán
he visto imperios aparecer y desmoronarse bajo las
aguas del olvido
¿de verdad quieres saber mi nombre?

he sido Xerxes y Kushnar y Tudela y Lucena y Steinitz
y Lasker y Tal y Botvinnik y Fischer
y he navegado hasta llegar a tus días

dinos de nuevo ¿cómo te llamas?

mi nombre es ajedrez
pero antes fui shatranj
y acaso chaturanga

ד

El viaje de las sombras

eras tú
eras tú y no otro
eras tú y tu pueblo
los que aparecen en el Libro
los que conocen el camino

las pezuñas partidas, la muerte del primogénito

no hay rumor como el rumor de los árboles

en la infancia de una luna
sacrificaste tu alma
alzaste la mayor e iluminaste con tu luz tierna

henchida de abrazos
todos los puntos cardinales

el pan de oriente
el vino eterno del norte
del poniente, el oscuro aceite
y
el
dulce
incienso del sur

trajiste la cultura toda de la lejana China
de la luminosa India
de la voluptuosa Mesopotamia

el ábaco, el papel, la imprenta, la moneda

los juegos

nada, nada dejaste sin escrutar
vaciaste tu alma (tu alma sacrificada) por comprender
el verdadero significado de las cosas

alef bet guimel daleth hei

mirando el horizonte
las hojas verdes
el cielo azul intenso como un pavo real
en silencio, un silencio mortal
recorriste ríos rojos rizados de rojos rosales
los valles
los desiertos
las montañas
las rocas que te auscultaban
el embrujo del aire sobre la niebla dorada

llegaste a volar sobre el Himalaya como si fueras un
Sennin
llegaste a volar

no hay, no
                    no hay materia más allá de la materia

caminaste
los senderos turbios de la arcilla con que construirías
el gólem de Praga
Gilgamesh te miraba asombrado de tanta vida
no hay inmortal más allá del valle
no hay vino ni sendas ni siquiera hay unas simples
piedras que te aparten
porque eras el pueblo que conocía el camino
mojaste tus pies en los interminables qanats

                    gotas angostas agoreras ágoras de agua

inventaste el idioma de Singer
escribiste todas las lenguas con tus propias letras

alef bet guimel daleth hei

construiste el esperanto en la helada Bialystok
como una señal
                    como si fuera un canto

la plegaria de un mundo libre
un mundo sin pogromos
un mundo dónde cabrían otros mundos

todos los mundos el mundo

nunca

nunca te detuviste
fueron ellos los que te detuvieron
pero tú seguías

desde las costas catalanas a los pueblos extremeños
desde la ribera del Ródano hasta besar las aguas del
mar Caspio

el camino empezó en Persia o quizás en las alturas
inimaginables
del Hindukush

la alforja roja
las piezas de marfil
el tablero de madera noble
la vasija mágica
la espiral transfinita
verdes sobre rojos sobre blancos sobre negros

alef bet guimel daleth hei

ahuyentando los demonios de tu cama
el camino empezó una y mil veces en el centro de la
espiral
ahí te encontraron:

Dunhuang o Kaifeng
Gandhara o Samarcanda
Odesa o Kiev
Pumbedita o Sura
Alepo o Jerusalén
Córdoba o Toledo

cada rama de la espiral seguía un rumbo fijo

como brazos de una constelación ahogados de estrellas

ibas y venías del centro al este, luego al norte, al sur y al oeste
llevabas esclavos, eunucos, sirvientes, doncellas
llevabas incienso, ámbar y amatistas
llevabas el alma de tu pueblo en cada encrucijada
la muerte reflejada en el tiempo
la ira de los inocentes
la nada, llevabas la nada
eran treinta dos
suficientes para volver a crear la infinitud del universo

viajaste con ellos allí donde ibas, allí donde andabas, el paso fértil, la mirada
allí mostrabas los sutiles movimientos del aire

eran treinta y dos sobre la geometría del espacio

eran la fuerza y la soledad
la estepa y la colina
la hierba y el árbol
color contra color
dolor contra dolor

rojo sobre verde sobre blanco sobre negro

opuestos que respiran tierras ocupadas por fantasmas de arena

una rueda de manos entrelazadas sobre un sol poniente
deslizando la luz, el espíritu, la tormenta
vahídos de anclas leves bajo el agua del mar

un murmullo de escombros

no hay murmullo como el murmullo de los árboles

a lo lejos
la tierra prometida

ה

Destino Oeste

en las veredas del barrio judío se halla mi muerte

azucenas
muerte
lavanda
muerte

el lamento del niño
la huida de Sefarad

en las veredas del sueño
hay serpientes
caballos alados

en las veredas no hay
no hay materia más allá

soy Abraham ben Meir ibn Ezra

nací en Tudela
viví el encierro
el odio
el olvido

me refugié en el miedo
soy el judío Ezra

he calculado
la distancia al sol
el lamento del niño
he calculado
la verdad de las veredas
azucenas
muerte
lavanda
muerte
he calculado
la geografía de mi destierro

en las veredas de mis sueños de Sefarad
las recuerdo
cada una de ellas aparecen
como estigmas en mi piel
recuerdo ruedas recorriendo ruinosos rincones

las recuerdo
eso es
son sombras deshilachadas sobre las veredas de la
muerte

en Tudela
en Sevilla
en Córdoba

todas las veredas
llevan al mar de mi destierro
                                                                        la fila
                                                                                    la diagonal
                                                                            la columna
cuatro siglos pasarán

seré
            el que anuncia
            el mensajero

por las costas amarillas del Mediterráneo
porque supe
porque quise
porque me obligaron

seré
            el que interpreta
            el traductor

viví en Toledo
tuve el conocimiento
la palabra
el saber

            nos mataron (azucenas)
            uno por uno (lavanda)
            cuando por fin terminamos nuestro trabajo

seré

el que escribe
el autor

encontraré el conocimiento
en las aristas de un juego
y lo derramaré sobre Maadanne Melech

en ella una a una las nombraré
a las piezas de la guerra
de la destrucción
al sonido del tiempo acurrucado sobre un campo
vacío de materia

una a una
las delicias del rey
y de la reina
y de esos roques poderosos como montañas ardiendo

me escucharéis cuando no esté
porque ese es mi destino

soy Ezra
el judío errante

¿me oyes Moshé? ¿escuchas mi pensamiento?

he recogido todas tus piezas
tu herencia perdida
las que trajiste de la lejana Persia
las que viajaron por el desierto oculto de tu ira
las treinta y dos
porque no eran treinta monedas
eran infinitas

en tu silencio no hay materia sino

tenues tonos trémulos tañidos de tiempo tardío

¿me oyes ahora Moshé, errando oculto por las piedras
del aire?

א

Hacia el Norte

hay ríos que desafían la gravedad
montes de barro
arcilla para amasar
                                        la vida
rutas de ámbar y esclavos

llevaste la alforja hasta los confines de la Tierra

sangre vikinga
sangre eslava
sangre sajona

sangre

te borraron de la memoria
pero tú imperturbable
fundaste Ashkenaz

y lo llenaste
con
feroces fantasmas formando fúnebres frondas

la mano hierática
el triste espacio

la tela tejida
con
los telares de la muerte
urdimbres de humo
ascendiendo
sobre el brazo de la espiral
de aquel cuenco mágico

sobre las aguas del Volga
a orillas del Dniéper
en la improbable aldea sobre el río blanco

más allá del mar
mucho más allá
donde no hay materia

en Trondheim
en Novgorod
en las islas Hébridas

un elefante y un barco sobre aguas dulces de frío
cimentando el suelo de la zona pálida

zona
pálida
absurda de dolor
y sin embargo
los poemas de amor

recuerda

alef bet guimel daleth hei

el encantamiento del Gólem

de esa arcilla nacieron tus héroes

barro de amor
barro de muerte
casillas fuertes
casillas débiles

de esa arcilla se cocieron las piezas heroicas

de ese barro de la tierra
que agarraste con tus manos

barro brotando vidrioso vagabundo

para construir el elixir de la vida

el árbol y sus ramas
la paz que nunca vino

Ashkenaz ¿dónde estás?
recuerda

alef bet guimel daleth hei

el gólem peón
el caballo gólem
el elefante y el barco gólem
aquellas delicias del rey y la reina

gólem de barro y tinieblas

no servirá de nada
vendrán los cosacos con sus fuegos y sus lanzas
vendrán
a violar a tus hijas
a arrasar el shtetl
mil demonios a tu izquierda
diez mil a tu derecha

sangre sorprendida siguiendo sórdidas sendas sobre
sus sueños

sangre

volverán los juegos
encenderás las cenizas
del samovar
pieza a pieza

veinte grados bajo cero
dos metros de nieve
alrededor
del samovar
de cada pieza

beberás el mismo té que bebiste en Kaifeng
beberás el fuego del eterno retorno

tú y tu padre y tu madre y tus hijos junto a la sombra
del dybuk

recuerda, nunca lo olvides

alef bet guimel daleth hei

volverá el juego
volverá el centro
volverá el ala
volverá la última fila

volverán los juegos
y las piezas de arcilla
volverán a moverse
sobre las casillas conjugadas

ב

La madre

ella detiene el tiempo

es Raquel, la madre
la que defendió el estigma
la identidad del pueblo
la que derramó lágrimas infinitas
sobre tu nombre
Moshé ben Oni

hijo del dolor
del destierro
el de la mirada lejana

no dejarás que te sometan

cuidarás a tus hijos
los esconderás del padre
temeroso de Dios
incapaz de hacerle frente
una voz ciega de palabras intermitentes

no dejarás
que la claridad del día perturbe la oscuridad
de la noche
estudiarás la fuente, el principio, la espada, el camino
recitarás una por una las palabras sagradas del cuenco
mágico
voz verdadera valiente venturosa
no dejarás
que entren los demonios en tu alma
mil a la izquierda
diez mil a la derecha
no dejarás
que te ahoguen con sus miradas tristes

procúrales pan
viérteles vino
ilumina las alas de llanto y de llamas

engáñalos con el líquido sagrado
enamóralos hasta el dolor
hasta que bailen ebrios de éxtasis
ellos
las almas endemoniadas con sus cuerpos
contorsionados
entonces
cuando te miren con agrado
entonces
destrúyelos con un rayo
vuelve Raquel

vuelve la madre
se reencarna
y ahora es Judit

jugará atravesando la quietud del resplandor
la apatía de los dioses
aquellos griegos aquellos
persas aquellas estatuas de cien brazos
y un Dios Innombrable, tu Dios, el del
resplandor eterno
jugará
moverá
una a una las piezas
sobre un tablero árido de poesías
unas esculturas blandas
sin alma, sin brío, sin duda infinitas

ella jugará
en otro paisaje en otro
tiempo jugará
es el fuego eterno que vuelve, el resplandor de la llama
la sombra de Zoroastro
el pueblo vuelve al pueblo
el calor al calor
las estepas sobre los desiertos
la arena sobre la sal
la añoranza de aquel mar que
rodeaba nuestros rostros trémulos de rojos rubíes

vuelve el pueblo
vuelve la carne
más allá de la soledad
más allá donde no hay materia
al otro lado del invierno

vuelve
el juego
un juego que no es un juego
juego yaciente
en la profunda oscuridad de la sima
no hay
no hay juego más allá de cualquier juego

es Judit
es la verdadera savia
la luz del día estrangulando la noche
la heredera de aquellos días
de aquellos desiertos arrebolados

de las azucenas
de las lavandas

vuelve la
calma cruel con caminos de codicia

vuelve la madre para no alejarse nunca
de nuestro lado

ג

Wilheim, la locura

juego con Dios
en la búsqueda
en la soledad urbana
PaRDeS
juego con Dios
al juego de la guerra
escapando a su destino
le doy un peón
y encuentro las jugadas
en la distancia desde el centro de mi casa a los cuerpos celestes
los olores de mi infancia
la luz de Viena

el discurrir del Danubio
PaRDeS
juego con Dios
dios doliente deseoso de dunas desamparadas
con Él juego

y siento el té hirviendo del samovar
sobre el aire frío del cementerio de Praga
juego y recito para mí el orden del universo

alef bet guimel daleth hei

perdido dentro de mi mente
se encuentra el conjuro que me sacará
de este sanatorio rezumando locura

perdido dentro de mi mente juego
le doy a Dios mi peón herido
juego Lucena y construyo puentes colgantes
sobre las casas vacías

juego mientras los demonios me persiguen
mil a la izquierda
diez mil a mi derecha
ellos se ríen de mi desdicha
pero yo no la reconozco mía
sólo acepto el desafío de Dios
recorriendo en espiral los cuencos mágicos

como
meandros melancólicos merodeando mi muerte
como
peones perdidos pariendo pútridas partidas
como
escudos esbeltos estorbando estepas extrañas

aléjate dybuk de ese paisaje perdido

juego la pieza de Moshé de marfil tallado
        asombrada de esperas
        extenuada de abismos
juego la palabra de Ezra
        el murmullo de la historia
        el canto de las sirenas
juego la catedral de la música celeste
        el espejo de la Quinta Avenida
        detrás del umbral
juego mi peón herido
        la libertad de Nimzowitch
        la muerte de Schlechter
        la diagonal de Reti
        la ciencia de Tarrasch
        la lucha de Lasker
        la voluntad de Najdorf

soy yo Moshé
he recogido el viento del tiempo
no he surgido de la nada
no soy la nada
soy Moshé ben Oni
                el hijo del dolor

recitaré la palabra escrita bordada de lamentos
y la cubriré de sentido
          de finales significados
          de señales verdaderas

flotando
        sobre la angostada superficie
                        Peshat

escondido
en la más profunda alegoría
Remez
eterna
bajo la palabra buscada
Derash
el exquisito misterio de Sod
todo aquello que se oculta

ד

Havruta

frente a frente
havruta

mis sueños frente a los tuyos
en ti mi pensamiento

frente a frente
havruta

un espacio de silencio
                    de colores malvas

sentado, como perdido
                    quince siglos frente a ti
quieto, como extenuado

frente al secreto último
de una naranja de magnificencia infinita
en ella dos hombres sabios juegan eternamente
al ajedrez

pálidas pieles pensando palabras perdidas

el maestro se acerca
su mano señala el camino
y de repente
la duna eterna
el oráculo, la magia, lo inmensamente inescrutable
la espiral que se vuelve sobre sí misma
uroboros

frente a frente
havruta

la cuerda que se tensa
la lanza que insiste
la flecha que alcanza
el escudo triste
sobre el ejército de piedra

la flecha, la flecha y la palabra
la mano del amorá

alef bet guimel daleth hei

¿cómo ordenar el vacío?
¿cómo cambiar el sonido del viento?
¿cómo traducir el color de la malva rosa?

frente a frente

havruta

a cada movimiento una respuesta
a cada pregunta una jugada
a cada misterio un signo

en la misma mesa
bajo el mismo techo
con el mismo ceño

no hay materia más allá
solo hay un mundo hecho de mundos
                    todos los mundos el mundo

aquellas piedras, aquellos árboles
aquellas jornadas inconmensurables
más allá del átomo
                    mucho más allá
donde la complejidad del aire envuelve las cosas

frente a frente
havruta

el solsticio de invierno se posa sobre las columnas de Persépolis

caminan lo mercaderes
Moshé se levanta y se dirige a Jacob
el rostro seco como la hierba del camino
piensa en Bujará
                    donde espera Sarah
¿es justo el precio que pagamos? pregunta Moshé

la frase queda flotando sobre sus cabezas

¿es justo?

Jacob no sabe la respuesta
pasarán mil años, mil quinientos años
el hijo del dolor seguirá su camino que se pierde en el
espejismo de un mar lejano

frente a frente

shatranj
ajedrez
y acaso chaturanga

ה

El tiempo

¿Es justo? Las manos alzadas hacia el cielo. Los médanos recordados uno a uno en la memoria. Jacob mira el tiempo que se deshace en el viento. No tiene respuesta. ¿Es justo? Moshé se desespera, maldice a su Dios, conjura a los demonios que han venido a hablar de su propia existencia ¿o será la de ese mismo Dios maldecido? Han bajado al taller, una pequeña habitación de adobe tostado por el sol del desierto. Trabajan la tierra, el marfil de los elefantes caídos, el cristal ahumado, las gemas de lapislázuli y la madera noble de los bosques. Conjuran los demonios con sus cuencos, uno a uno, que van tomando forma a partir de esa arcilla bendecida con palabras rotundas, innombrables. Han aprendido a conjurarlos de otro modo, con treinta y dos piezas que se mueven de casa en casa, respondiendo a la voluntad del destino. Cada una de las sesenta y cuatro casas esperan pacientes a sus habitantes mágicos, poderosos, mientras el verdor del río se asoma a través de sus ventanas.

Dime Jacob
¿Es justo? Son cientos
de años en esta tierra endemoniada
dioses de fuego, aves que vuelven a la vida
¿Es justo?

Los demonios se agitan en la oscuridad de la tierra: saben que esos cuencos, con esa espiral, con esas letras, configuran una geometría de poderes inconmensurables; entre todas ellas los harán brotar hacia el aire y volar, lejos, muy lejos, siguiendo el vuelo del ruc milenario

El conjuro se repite una y otra vez en la atonía del paisaje. Polvo y arcilla. Incienso y piedras. En ocasiones, una tela de seda que habla de desiertos, de valles encantados, de habitantes etéreos que aparecen y desaparecen, de inventos impensables, de sabios armados con la escritura del tiempo, el tiempo que unirá los personajes hasta volver a deshacerse en el viento. El mercader recuerda la ruta, es la ruta del deseo, el árbol de la sabiduría, todo lo que nos ha dejado este Dios cruel que nos ha abandonado, a nuestra suerte, a nuestra solitaria capacidad para el encantamiento.

¿Es justo? Repite Moshé para sí, para Jacob, para que su voz atraviese el tiempo, el hijo del dolor mandando su eco a Ezra, para que adivine las delicias del rey; a Vicent, en la meseta de Segorbe iluminando a la dama de movimientos rabiosos; a Lucena en Salamanca para que abra al mundo la belleza del juego; a Damiano que llegará a la Europa triste a orillas del Tíber. Y el eco esperará al paso del viento entre sus manos. Esperará a los Steinitz y a los Lasker y a los Botvínnik y a los hijos de los hijos de aquellos que estuvieron alguna vez en Bujará.

En el cuenco, el conjuro.
En la pieza, el destino.
En la mano, la clave.

Cae la noche. Jacob y Moshé se sientan uno frente al otro. Havruta. Abren el Talmud que se extiende como un tablero de casas ciertas como el polvo de la sala. Mueve el peón Jacob, muévelo por la estepa tardía, que atraviese las columnas de Persépolis, las montañas del Hindukush, el río fértil que acaricia las laderas de los Alpes. Empuja a la torre, haz que el barco navegue hasta los fiordos de Escandinavia, que llegue a las islas Hébridas, que siga su ruta de ámbar y de esclavos. La historia en unas jugadas, el mundo en un puñado infinito de arroz, el universo entero. Moshé, eres el mercader que atraviesa el mundo, el que lleva la palabra, jugada a jugada, no dejes que la historia te ignore.

No lo es, Moshé.
No es justo, alcanza a responder Jacob.

El tiempo se ha detenido una vez más. La partida acaba en tablas.

Al día siguiente se preparan para su viaje a Bujará.
Allí espera Sarah, la dulce Sarah.

Epílogo

¿qué es el viaje a Bujará?
¿qué Ítacas se le comparan?
¿habrá sirenas en el desierto?
¿serán minotauros celosos de la bruma encendida?
¿qué Teseos formarán laberintos?
¿adornarán la estepa?
¿se detendrán en las laderas del Cáucaso?
¿qué itinerario seguirá el guía bajo la noche estrellada?
¿existirá aún la Jerusalén alada?

noche estrellada sobre el Ródano

Bleecker Street
Villa Devoto
Leopoldstat
Bialystok
Odesa
Moisés Ville

Alejandrías múltiples olvidadas
en el abismo de una historia
escrita por los vencedores de cada guerra
sobre la muerte de los vencidos

Moshé ben Oni
hijo del dolor
deja que el camino se abra sobre tus pasos
busca
el oro vano de la superficie
destripa
luna por luna las pistas del saber
alumbra
las metáforas de los acantilados
y abre
el misterio secreto de lo que aún no ha sido revelado

Peshat
Remez
Derash
Sod

La agonía.
El camino.
Las verdades.
El olvido.

Moshé, canta con los pájaros
lleva las 32 piezas
como 32 rocas sobre la espalda de Sísifo

juega y juega y diez mil veces juega

que los demonios que te acompañan
sean tragados por el polvo de la estepa

arreboles verdaderos
revelarán veleros
remando y remando
junto al verdor del río
volando y volando
sobre los altares hundidos
de los mares perdidos

Sarah,
sus hijos
y los hijos de sus hijos
son tu única certeza.